Jörg Zink

Mehr als drei Wünsche

Kreuz Verlag

*V*iele gute Wünsche habe ich für dich.
Aber zuvor
möchte ich dir etwas erzählen.

Es gibt Märchen,
in denen ein Gast von der Straße kam
und bei armen Menschen einkehrte.

Als er sich am Morgen verabschiedete,
zeigte sich, daß er mehr war
als nur ein Wanderer.
Ihr habt drei Wünsche frei, sagte er.
Seht zu, daß ihr euch etwas Gutes wünscht.

Und dann erzählen die Geschichten,
wie die einen sich ins Verderben wünschten
und die anderen ins Glück,
je nachdem, ob sie töricht waren
oder klug.

Als ich die roten Pilze
im Moos stehen sah,
die »Glücksbringer«,
fiel mir der Wanderer ein
mit seinen drei Wünschen.
Denn die leuchtende Farbe
könnte täuschen
und das Glück davonflatter
wie ein kleiner blauer Falte

Ich stelle mir vor,
der unbekannte Wanderer
begegnete dir.
Er wäre dein Gast
über eine Nacht,
und am Morgen
würde er dir raten,
was du dir wünschen sollst

Was würde er sagen?

Vielleicht würde er dich ansehen
und dann anfangen zu sprechen:

Ich wünsche dir nicht
ein Leben ohne Entbehrung,
ein Leben ohne Schmerz,
ein Leben ohne Störung.
Was solltest du tun
mit einem solchen Leben?

Ich wünsche dir aber,
daß du bewahrt sein mögest
an Leib und Seele.
Daß dich einer trägt und schützt
und dich durch alles,
was dir geschieht,
deinem Ziel entgegenführt.

Daß du unberührt bleiben mögest
von Trauer,
unberührt
vom Schicksal anderer Menschen,
das wünsche ich dir nicht.
So unbedacht soll man nicht wünschen.

Ich wünsche dir aber,
daß dich immer wieder
etwas berührt,
das ich dir nicht so recht beschreiben kann.
Es heißt »Gnade«.
Gnade ist ein altes Wort,
aber wer sie erfährt,
für den ist sie wie Morgenlicht.

Man kann sie nicht wollen
und nicht erzwingen,
aber wenn sie dich berührt,
dann weißt du: Es ist gut.

Der alte Wanderer
könnte auch sagen:

Ich wünsche dir nicht
ein Leben ohne Mühe
und ohne Herausforderung.

Aber ich wünsche dir,
daß deine Arbeit
nicht ins Leere geht.
Ich wünsche dir
die Kraft der Hände
und des Herzens.

Und ich wünsche dir,
mit einem alten Wort
wünsche ich es,
dem Wort »Segen«:
daß hinter deinem Pflug
Frucht wächst,
Brot für Leib und Seele,
und daß zwischen
den Halmen
die Blumen nicht fehlen.

Denn wie der Mensch
nicht vom Brot allein lebt,
so wächst auch das Brot
nicht durch den Menschen allein,
sondern durch den Segen dessen,
dem das Feld und die Saat gehören.

Das Brot wächst durch die Kraft
dessen, dem die Erde dient
und der Himmel,
die Sonne und der Regen.

Daß in deiner Kraft
seine Kraft ist,
das vor allem,
das wünsche ich dir.

Gesegnet
ist der Mensch,
der sich auf Gott verläßt,
dessen Hoffnung auf Gott gründet –

schreibt der Prophet Jeremia.

Der ist wie ein Baum,
am Wasser gepflanzt,
der seine Wurzeln
zum Bach hinstreckt.

Wenn auch die Hitze kommt,
fürchtet er sich doch nicht,
sondern seine Blätter
bleiben grün.

Er sorgt sich nicht,
wenn ein dürres Jahr kommt,
sondern bringt ohne Aufhören
Früchte.

Was ich dir wünsche?

Nicht, daß du
der schönste Baum bist,
der auf dieser Erde steht.
Nicht,
daß du jahraus, jahrein
leuchtest von Blüten
an jedem Zweig.

Aber daß dann und wann
an irgendeinem Ast
eine Blüte aufbricht,
daß dann und wann
etwas Schönes gelingt,
irgendwann
ein Wort der Liebe
ein Herz findet,
das wünsche ich dir.

Der englische Staatsmann Thomas Morus
betete einmal, vor rund 450 Jahren,
und wünschte sich:

Herr,
schenke mir Gesundheit des Leibes
mit dem nötigen Sinn dafür,
daß ich ihn möglichst gut erhalte.

Schenke mir eine heilige Seele,
die im Auge behält,
was gut und rein ist,
die sich nicht einschüchtern läßt
vom Bösen,
sondern Mittel findet,
die Dinge in Ordnung zu bringen.

Schenke mir eine Seele,
der die Langeweile fremd ist,
die kein Murren kennt,
kein Seufzen und Klagen,
und lasse nicht zu,
daß ich mir zu viele Sorgen mache
um dieses Etwas,
das sich so breit macht
und sich »Ich« nennt.

Schenke mir den Sinn
für freundlichen Humor.
Gib mir die Gnade,
einen Scherz zu verstehen,
damit ich ein wenig Glück finde im Leben
und anderen davon weitergebe.

Der geheimnisvolle Wanderer
hat ein Lachen in der Stimme,
wenn er etwa sagt:

Was ich dir wünsche?
Nicht, daß du so groß wirst wie ein Baum,
so stark oder so reglos.

Aber daß du hin und wieder nach oben schaust,
wo die Kronen sind und der Himmel.

Daß du stehenbleibst
und nicht immer weiter rennst.
Daß du stehen lernst und wachsen
wie ein Baum.

Denn du bist nicht am Ziel.
Du hast die Kraft in dir,
die auch im Baum ist: die Kraft zu wachsen.

Du bist noch zu etwas berufen.
Bleib stehen. Schau nach oben
und fühle die Kraft aus Gott,
die wachsen will in dir.

Was ich dir wünsche?
Nicht,
daß du dein Leben
verbringen sollst
unberührt von den Menschen,
irgendwo in der Stille an einem See,
als wären alle Tage Ferien.

Aber ich wünsche dir,
daß du hin und wieder eine Stunde hast,
in der deine Seele still liegt
wie Wasser
und das Licht sich in ihr spiegelt.

Ich wünsche dir,
daß du absehen lernst
von deiner eigenen Kraft
und stehen, zart und biegsam
wie ein Wollgras,
das in dem Seegrund Halt hat,
in dem es steht.

Der Dichter des Psalms 139 schreibt:

Du, mein Gott,
hast mich geschaffen.
Meinen Leib und meine Seele.
Du warst es,
der mich so fein gewoben hat
im Leib meiner Mutter.

Ich danke dir,
daß ich so herrlich geschaffen bin,
so wunderbar.
Alle deine Werke
sind voller Wunder.

Du kanntest mich,
du sahst mich schon,
als ich,
menschlichen Augen verborgen,
meine Gestalt fand.

Du hattest mein Schicksal vor Augen,
alle meine Tage und meine Jahre.
In deinem Buch standen sie alle,
sie wurden geschrieben,
längst ehe sie begannen.

Deine Gedanken sind so schwer und so groß,
o Gott, wie gewaltig ist ihre Zahl!
Wollte ich zählen, so wäre es,
als zählte ich Sandkörner am Meer
mit meinen Fingern.

Und wenn ich darüber einschliefe,
so zählte ich weiter im Traum
und merkte bei meinem Erwachen,
daß ich gezählt habe
und an kein Ziel kam.

Erforsche mich, Gott, erkenne mein Herz.
Prüfe mich und erfahre, wie ich's meine.
Und siehe, ob ich auf dem Wege ins Unheil bin,
und leite mich auf den Weg zur Ewigkeit.

*M*it einem
Augenzwinkern
vielleicht
fährt der Wanderer fort:

Ich wünsche dir nicht,
daß dir irgendwo
auf einem Waldweg
ein weißer Hirsch begegne
oder ein Königssohn
oder eine Fee,
die dich reich macht.

Aber daß du Augen hast,
zu sehen,
wenn dir auf deinem Weg
ein Wunder begegnet.

Denn für die Wunder
brauchen wir kein Märche
sondern Augen, die sehen,
und ein Herz, das versteht
für ein Wunder zu danken

Ukrainische Bauern
hatten einen Wunsch zum neuen Jahr
voll sorglosen Humors,
in dem sie nicht Bäume zum Gleichnis nahmen,
sondern Tiere:

»Gott schicke den Tyrannen Läuse,
den Einsamen Hunde,
den Kindern Schmetterlinge,
den Frauen Nerze,
den Männern Wildschweine,

uns allen aber einen Adler,
der uns auf seinen Fittichen
zu ihm trägt.«

Ich weiß nicht, ob es genügt,
den Tyrannen Läuse zu wünschen,
aber den Adler,
ja, den Adler,
den wünsche ich dir.

*V*ielleicht meinten
die Bauern der Ukraine
die Liebe Gottes,
wenn sie von einem Adler sprachen.

Ist Gott für uns, sagt Paulus,
wer mag wider uns sein?
Wer will uns scheiden von der Liebe Gottes?
Traurigkeit oder Angst,
Verfolgung oder Hunger,
Entbehrung oder Gefahr oder Schwert?

Ich bin gewiß,
daß weder Tod noch Leben,
weder gute noch böse Mächte,
weder Gegenwärtiges noch Zukünftiges,
weder Schicksale noch Leiden
noch irgend sonst etwas
zwischen Himmel und Erde
mich scheiden kann von der Liebe Gottes,
die mir in Christus begegnet,
meinem Herrn.

Wenn du gut achtgibst,
hörst du:

Ich wünsche dir nicht,
daß du »frei« bist
und ohne Menschen
allein in einem fernen,
weiten Land,
wo noch Raum ist.
Auch wenn du dich
dann und wann
danach sehnen magst.

Ich wünsche dir Freunde,
hilfreiche und störende,
solche, die du brauchst,
solche, die dich brauchen.

Ich wünsche dir,
daß du Halt findest
wie ein Efeu,
an einem festen Stamm,
und die Kraft hast,
ein Stamm zu sein für die,
die du tragen sollst.

Ein reiches Leben
wünsche ich dir,
in dem von allem etwas ist.
Auch von dem,
was du dir nicht wünschen möchtest.

»Es hat alles seine Zeit«,
sagt ein Dichter in der Bibel,
»alles Tun unter dem Himmel
hat seine Stunde.

Pflanzen hat seine Zeit,
und Ausreißen hat seine Zeit,
Verwunden und Heilen,
Einreißen und Bauen.

Weinen hat seine Zeit,
und Lachen hat seine Zeit,
Klagen und Tanzen.
Steine-Wegwerfen hat seine Zeit
und Steine-Einsammeln.

Umarmen hat seine Zeit, Herzen
und ferne sein vom Herzen.
Suchen hat seine Zeit
und Verlieren,
Zerreißen hat seine Zeit
und Zunähen.
Schweigen hat seine Zeit
und Reden,
Liebe hat ihre Zeit und Haß,
Streit und Frieden.

Ich sah, wie die Menschen sich mühen,
und sah, daß Gott ihnen die Mühe zumutet.
Er tut alles zu seiner Zeit
und läßt ihr Herz sich ängsten,
wie es weitergehen solle in der Welt.
Denn der Mensch kann das Werk, das Gott tut,
doch nicht fassen. Weder Anfang noch Ende.«

Was ich dir wünsche?
Nicht,
daß du tausend Meter hoch
über dem Meer
auf dem Libanon stehst
wie diese Zeder.

Aber das wünsche ich dir,
daß du dem Himmel
nahe bist
und mit der Erde kräftig verbunden.

Daß deine Wurzeln Wasser finden
und deine Zweige im Licht sind.

Ein alter biblischer Wunsch lautet:
Du sollst gedeihen und gesegnet sein
wie eine Zeder auf dem Libanon.

Ich wünsche dir nicht,
daß du ein Mensch seist,
rechtwinklig an Leib und Seele,
glatt und senkrecht wie eine Pappel
oder elegant wie eine Zypresse.

Aber das wünsche ich dir,
daß du mit allem, was
krumm ist an dir,
an einem guten Platz leben darfst
und im Licht des Himmels,

daß auch,
was nicht gedeihen konnte,
gelten darf
und auch das Knorrige
und das Unfertige
an dir und deinem Werk
in der Gnade Gottes Schutz finden.

Hin und wieder eine Stunde
wünsche ich dir,
in der du den Reichtum erkennst,
der dir gegeben ist.

Vielleicht kannst du so mitsprechen:
Alles kommt von dir, Herr.
Schutz und Gefahr, Licht und Finsternis.

Daß es Tag wird, danke ich dir,
und daß es Nacht wird.
Nichts ist selbstverständlich, was geschieht.

Alles, was geschieht, ist ein Geschenk an mich.
Alle Liebe, die ich gebe oder empfange,
alle Lebenskraft, die mich erfüllt.

Alles, was mir zufällt, ist deine Gabe.
Von wem sollte es mir zufallen,
wenn nicht von dir?

Was ich bin und habe, ist dein Wunder.
In allem schaue ich dich und deine Güte.

Dein Wille ist geschehen
auf all den vielen Wegen,
die du mich geführt hast.
Ich danke dir,
daß ich sie nicht allein gegangen bin,
auch wenn ich selten ihr Ziel wußte
und ihren Sinn begriff.

Dein Wille ist geschehen
an den Tagen, an denen ich glücklich war,
und an den Tagen,
an denen alles in Gefahr geriet.

Dein Wille ist geschehen
auch an allen dunklen Tagen
des Elends und der Angst.
Ich danke dir,
daß du mich hindurchgeleitet hast
bis auf diesen Tag.

Ich danke dir
und vertraue mich deinem Willen an.

Wünschen möchte ich dir,
daß du leben darfst
und im Licht stehen,
auch wenn es Winter wird.

Denn die Jahreszeiten
haben ihre Gesetze,
und auch der Frost
hat seinen Sinn.
Auch die Liebe muß es aushalten
zuzeiten, daß sie schweigt,
daß sie sich nach innen wendet.

Auch der Glaube braucht Zeiten
in denen er schweigt
und sich verschließt.
Auch die Seele
braucht Zeiten des Hörens,
in denen Gottes Gedanken
sie finden.

Ich wünsche dir,
daß du auch das Eis des Winters
erlebst
als eine Herrlichkeit von Gott.

Martin Luther King schrieb:

Komme, was mag – Gott ist mächtig!
Wenn unsere Tage verdunkelt sind
und unsere Nächte finsterer
als tausend Mitternächte,
so wollen wir stets daran denken,
daß es in der Welt eine große,
segnende Kraft gibt, die Gott heißt.
Gott kann Wege
aus der Ausweglosigkeit weisen.
Er will das dunkle Gestern
in ein helles Morgen verwandeln –
zuletzt in den leuchtenden Morgen
der Ewigkeit.

Der Dichter Eduard Mörike sagt es so:

In ihm sei's begonnen,
Der Monde und Sonnen
An blauen Gezelten
Des Himmels bewegt.
Du, Vater, du rate!
Lenke du und wende!
Herr, dir in die Hände
Sei Anfang und Ende,
Sei alles gelegt!

Und dann,
nach all diesen Wünschen und Bitten,
verabschiedet sich der Gast.
Und es zeigt sich,
so erzählen es die Geschichten,
daß in ihm Gott verborgen war.

Wie aber Gott über diese Erde geht,
das schildert ein Bildhauer
an der Kathedrale von Autun:
Da ist das Kind Jesus unterwegs,
auf der Flucht.

Aber sein Weg
ist keine Straße.
Er führt durch den ganzen Kosmos.
Unter seinen Füßen sind die Ringe der Sterne,
der Planeten, der Monde, der Sonnen.

Das Kind ist der Herr der großen
und deiner kleinen Welt,
und alles, was geschieht,
geschieht durch seinen Willen.

Er wandert durch die Welt,
und kein noch so ferner Himmelskörper
zieht seinen Kreis ohne seine Gegenwart.
Auch nicht du selbst
auf deinen Wegen
durch alle kommenden Jahre.

Der Herr,
    der Mächtige,
    Ursprung und Vollender
    aller Dinge,

segne dich,
    gebe dir Gedeihen und Wachstum,
    Gelingen deinen Hoffnungen,
    Frucht deiner Mühe,

und behüte dich
    vor allem Argen,
    sei dir Schutz in Gefahr
    und Zuflucht in Angst.

Der Herr lasse leuchten sein Angesicht über dir,
    wie die Sonne über der Erde
    Wärme gibt dem Erstarrten
    und Freude dem Lebendigen,

und sei dir gnädig,
    wenn Schuld dich quält.
    Er löse dich von allem Bösen
    und mache dich frei.

Der Herr erhebe sein Angesicht auf dich,
    er sehe dein Leid
    und höre deine Stimme,
    er heile und tröste dich

und gebe dir Frieden,
    das Wohl des Leibes
    und das Wohl der Seele,
    Liebe und Glück.

Amen.
    So will es der Herr,
    der von Ewigkeit zu Ewigkeit bleibt.
    So steht es fest nach seinem Willen
    für dich.

© by Dieter Breitsohl AG
    Literarische Agentur Zürich 1983
Alle deutschsprachigen Rechte beim Kreuz Verlag Stuttgart
4. veränderte Auflage (81.–110. Tausend)
Kreuz Verlag Stuttgart 1983
Alle Fotos: Jörg Zink
Gestaltung: Hans Hug
Reproduktionen: Gölz, Ludwigsburg
Satz: Typosatz Bauer, Fellbach
Druck: Süddeutsche Verlagsanstalt, Ludwigsburg
Buchbinderische Verarbeitung: Röck, Weinsberg
ISBN 3 7831 0722 9

In der gleichen Ausstattung wie das Buch,
das Sie in der Hand haben, sind von
Jörg Zink im Kreuz Verlag folgende Bände erschienen:

Jörg Zink
Wenn der Abend kommt

48 Seiten mit 17 Farbfotos, gebunden mit vierfarbigem Überzug

Ein Begleiter für die Abend- und Nachtstunden.
Kurze meditative Texte und Gebete leiten zur Sammlung,
zu Gelassenheit und Zuversicht.

Jörg Zink
Alles Lebendige singt von Gott

48 Seiten mit 19 Farbfotos, gebunden mit vierfarbigem Überzug

Zauberhaft ist die Natur, die Gott geschaffen hat.
Die Fotos zeigen es,
die Texte leiten dazu an, mit neuen Augen in die Welt zu sehen
und in den vielen kleinen Dingen
die lebendige Gegenwart des Schöpfers zu erfahren.

Jörg Zink
Am Ufer der Stille

48 Seiten mit 18 Farbfotos, gebunden mit vierfarbigem Überzug

Wer Gotteserfahrung sucht, kann sich diesem Buch anvertrauen.
Jörg Zink gibt Anleitungen zur Meditation und zeigt,
in welche Tiefe und Weite das Lauschen auf die Stille führen kann.

Kreuz Verlag Stuttgart · Berlin